sigurnost

je...

palac
i ćebence

Čarls M. Šulc

Laguna

sigurnost je

kad imaš
na koga da se
osloniš

sigurnost je

kad znaš
da te
neće prozivati

sigurnost je

kada znaš
ko je
bebisiterka

sigurnost je

kad si obukao
čarape koje
nisu rasparene

sigurnost je

kad znaš da
pred sobom
imaš još
mnogo godina

sigurnost je

kada imaš
svoju kuću

sigurnost je

kad imaš muziku
pred sobom

sigurnost je

kad imaš
starijeg brata

sigurnost je

kad sediš
u kutiji

sigurnost je

kad imaš
dobre saigrače

sigurnost je

kad imaš
prirodno
kovrdžavu kosu

sigurnost je

kad znaš da
onaj ogromni pas
stvarno ne može
da izađe

sigurnost je

kad imaš
nekoliko kostiju
u rezervi

sigurnost je

kad imaš
karte u ruci

sigurnost je

kad u džepu
imaš rezervnu
zihernadlu

sigurnost je

kad zapišeš
šifru svog
katanca

sigurnost je

kad drugari
dođu da
prespavaju
kod tebe

sigurnost je

kad u vodi
možeš
da stojiš

sigurnost je

kad podigneš
poklopac i proveri
da li je pismo
upalo u sanduče

sigurnost je

kad si deo družine

sigurnost je

kad imaš
nekoga
da te sluša

sigurnost je

kad se vratiš
kući
s putovanja

sigurnost je

kad imaš
rodni grad

sigurnost je

kad dođeš u
bioskop
pre nego što je
počela
prodaja karata

sigurnost je

kad znaš
da ima još
pite

sigurnost je

kad sakriješ
rezervni ključ
od vrata

sigurnost je

kad znaš
svoju recitaciju

sigurnost je

čokoladica
skrivena
u frižideru

sigurnost je

kad čuješ mamu
u kuhinji
kad se vratiš kući
iz škole

sigurnost je

kad znaš
da nisi sam

Čarls M. Šulc: **SIGURNOST JE... PALAC I ĆEBENCE**

Za izdavača: Dejan Papić

Lektura i korektura: Jelena Vuković

Slog i prelom: Laguna

Tiraž: 3000

Štampa i povez: Rotografika, Subotica

Izdavač: **Laguna,** Beograd; Resavska 33; Tel. 011/3347-547
www.laguna.rs e-mail: info@laguna.rs

CIP – Каталогизација у публикацији Народна библиотека Србије, Београд

ŠULC, Čarls M.
Sigurnost je... palac i ćebence / Čarls M. Šulc ; preveo Nikola Pajvančić. - Beograd :
Laguna, 2009 (Subotica : Rotografika). - 64 str. : ilustr. ; 13 x 13 cm

Prevod dela: Security is... thumb and blanket / Charles M. Schulz. - Tiraž 3000.

ISBN 978-86-521-0059-0

087.5

COBISS .SR-ID 153789964